엽기 과학자
프래니

글·그림 짐 벤튼

짐 벤튼은 미국에서 살고 있는 작가이자 만화가이면서 두 아이의 아버지입니다. 짐 벤튼의 독특하고 익살스러운 그림들은 텔레비전이나 장난감, 티셔츠, 축하 카드뿐만 아니라 속옷에도 등장할 만큼 인기가 많답니다. 〈엽기 과학자 프래니〉 시리즈는 짐 벤튼이 어린이들을 위해 펴낸 첫 책으로, 많은 어린이들에게 사랑받고 있습니다. 지금도 짐 벤튼이 일하는 작업실 안에는 어린이들에게 흥미진진하고 재미있는 자료들이 가득하답니다.

옮김 양윤선

숙명여자대학교에서 교육학을 전공하고 한겨레 어린이·청소년 책 번역가 그룹에서 공부했습니다. 옮긴 책으로 《골드피쉬 보이》, 《10대들의 고민타파 걱정을 덜어주는 책》, 《겨울왕국2 마법의 숲》 등이 있습니다.

FRANNY K. STEIN, MAD SCIENTIST #9: RECIPE FOR DISASTER by Jim Benton
Original English language edition copyright © 2020 by Jim Benton
All rights reserved. No part of this book may be reproduced or transmitted in any form or by any means, electronic or mechanical, including photocopying, recording or by any information storage and retrieval system, without permission in writing from the Publisher.

Korean edition © 2022 by E*PUBLIC KOREA CO., LTD
This Korean edition was published by E*PUBLIC KOREA CO., LTD in 2022 by arrangement with Simon & Schuster Books For Young Readers, An Imprint of Simon & Schuster's Publishing Division through KCC(Korea Copyright Center Inc.), Seoul.

이 책은 (주)한국저작권센터(KCC)를 통한 저작권자와의 독점계약으로 (주)이퍼블릭(사파리)에서 출간되었습니다. 신 저작권법에 의해 한국 내에서 보호를 받는 저작물이므로 무단 전재와 복제를 금합니다.

엽기 과학자
프래니
재앙을 부르는 악마의 머핀

사파리

초판 1쇄 인쇄일 2022년 4월 5일
초판 8쇄 발행일 2025년 4월 30일

글·그림 짐 벤튼 | 옮김 양윤선
펴낸이 유성권 | 편집장 심윤희 | 편집 유옥진, 한지희, 김유림
표지 디자인 황금박g | 본문 디자인 이수빈
마케팅 김선우, 강성, 최성환, 박혜민, 김현지 | 홍보 김애정, 임태호
제작 장재균 | 관리 김성훈, 강동훈
펴낸곳 (주)이퍼블릭 | 출판등록 1970년 7월 28일(제1-170호)
주소 서울시 양천구 목동서로 211 법문빌딩
전화 02-2651-6121 | 팩스 02-2651-6136
홈페이지 safaribook.co.kr | 카페 cafe.naver.com/safaribook
블로그 blog.naver.com/safaribooks | 인스타그램 @safaribook_
페이스북 facebook.com/safaribookskr

ISBN 979-11-6637-767-9
     979-11-6057-525-5(세트)

* 책값은 뒤표지에 있습니다.
* 이 책의 내용 일부 또는 전부를 재사용하려면 반드시 저작권자와 (주)이퍼블릭 양측의 동의를 얻어야 합니다.
* 사파리는 (주)이퍼블릭의 유아·아동·청소년 출판 브랜드입니다.

KC마크는 이 제품이 공통안전기준에 적합하였음을 의미합니다.
제조자명 : ㈜이퍼블릭(사파리) 제조국명 : 대한민국 사용 연령 : 8세 이상
종이에 베이거나 모서리에 다치지 않게 주의하세요.

아주 특별한 생각과 취미를 가진
귀여운 과학 소녀 프래니를 소개합니다.

차 례

1. 엽기 과학자 프래니의 집 · · · · · · · · · · · · · · · · · · 9

2. 오븐 준비 완료 · 18

3. 실패한 과자 판매 · 26

4. 쿠키 굽기쯤이야 · 36

5. 제빵 로봇 만들기 · 40

6. 세상 최고의 머핀 · 49

7. 머핀이 가져온 행운 · 56

8. 머핀을 더 많이 만들려면 · · · · · · · · · · · · · · · · 62

9. 머핀맨의 제빵소 · · · · · · · · · · · · · · · · · · · 64

10. 머핀에 푹 빠진 아이들 · · · · · · · · · · · · · · · 66

11. 좋은 게 좋은 것이 아닐 수도 · · · · · · · · · · · · 75

12. 똑똑한 아이는 주저앉지 않아 · · · · · · · · · · · 90

13. 아주 특별한 헬멧 · · · · · · · · · · · · · · · · · 95

14. 머핀맨과의 작별 · · · · · · · · · · · · · · · · · 109

15. 이제 난 가마일 뿐 · · · · · · · · · · · · · · · · 118

추천의 말 · 124

엽기 과학자 프래니의 집

프래니네 식구들은 수선화 길 끝에 자리한 집에서 살았어요. 창문마다 귀여운 자줏빛 덧문들이 달린 예쁜 분홍색 집이죠. 집 안은 구석구석 밝고 산뜻했어요. 자주와 분홍은 서로 꽤 잘 어울리는 색이지만 프래니는 그런 생각을 해 본 적이 없답니다.

사실 프래니는 지금껏 물감에 대해 생각해 본 적이 거의 없었어요. 물감을 뿌려 투명 인간으로 만들거나, 불에 타지 않게 하거나, 괴물로부터 벗어날 수 있을 만큼 끔찍한 맛이 나지 않는다면 말이에요.

엽기 과학자라면 누구나 엄청 맛있는 건 아주 위험하다는 걸 잘 알고 있지요.

아, 프래니도 칫솔에 묻어 있는 물감을 발견했을 땐 아주 진지하게 생각했어요. 이고르에게 그림 그리기라는 새로운 취미가 생긴 뒤로는 점점 더 자주 말이에요.
"이고르, 이건 칫솔이야. 그림용 붓이 아니라니까."
프래니가 욕실에서 소리쳤어요.

이고르는 요즘 들어 그림 그리기에 부쩍 관심을 보였고, 실력도 조금씩 나아지고 있었답니다.

체조도 배우기 시작했지요.

아마 이리저리 재주를 넘다가 저도 모르게 물감을 칫솔에 묻혔나 봐요.

그래도 프래니는 전혀 상관하지 않았어요. 그림 그리기에는 아예 관심이 없었지만, 이고르가 행복해했으니까요. 무엇보다 이고르가 프래니의 실험을 도와주기보다는 그림을 그리는 편이 세상을 위해 훨씬 안전했거든요.

훨씬 안전했답니다.

오븐 준비 완료

프래니는 점심시간에 교실 창밖을 내다보고 있었어요. 그런데 아저씨들이 녹슨 커다란 고물을 옮기고 있었답니다. 프래니가 손을 들고 선생님께 물었지요.

"셸리 선생님, 저게 뭐예요?"

"오래된 보일러 같구나. 학교에서 제대로 작동이 안 되는 보일러 대신 새 걸로 사려나 보네."

"어! 설마 저걸 그냥 내버리려는 건 아니겠죠, 그렇죠?"

프래니가 다급하게 소리쳤어요.

"글쎄, 저걸 어떻게 하실지는 모르겠구나…."

프래니는 셀리 선생님이 말을 채 마치기도 전에 쏜살같이 문을 열고 복도를 지나, 밖으로 달려 나갔답니다. 손을 마구 휘저으며 아저씨들에게 소리쳤지요.

"아저씨! 잠깐, 잠깐만요. 그 고물, 제가 쓸래요. 제가 가져도 될까요?"

아저씨들이 프래니를 보며 싱긋 웃었어요.

"이 고물로 대체 뭘 하려는 게냐?"

한 아저씨가 놀리듯 물었지요.

"음, 아직 잘 모르겠어요. 하지만 이건 튼튼하고 좋은 강철이니까 많은 걸 만들 수 있을 거예요."

프래니가 양손으로 보일러를 쓰다듬으며 말했어요.

"예를 들면 어떤 거?"

다른 아저씨가 다시 물었지요.

"어쩌면 작은 탱크를 만들 수 있을 거 같아요. 아니면 로켓이나 로봇을 만들 수도 있고요. 아무튼 강하고 튼튼한 뭔가를 발명할 거예요."
"하지만 이건 보일러야. 이미 발명된 거란다."
한 아저씨가 말했어요.
"그럼 제가 새롭게 만들 거예요."
프래니는 아저씨들에게 자신 있게 대답했답니다.
셸리 선생님이 프래니를 데리러 교실 밖으로 나왔어요. 아저씨들은 선생님이 올 때까지 프래니를 비웃고 있었지만 프래니는 눈치채지 못했지요.

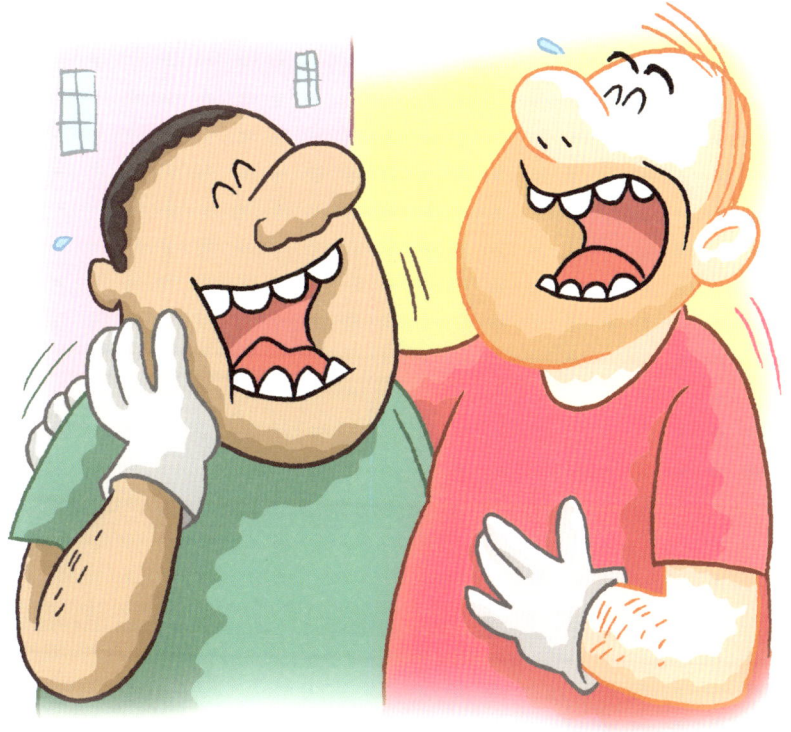

"흐흐, 저 콩알만 한 녀석이 이걸로 로켓을 만든다네요."
한 아저씨가 낄낄거리며 셀리 선생님에게 말했어요.
"프래니라면 할 수 있어요. 할 수 있고말고요."
셀리 선생님이 빙긋 웃으며 자신 있게 대답했지만, 아저씨들은 믿지 않고 비아냥대기 바빴지요.
그러자 셀리 선생님 표정이 매우 진지해졌어요.
"지난 달, 거대한 소행성이 지구와 충돌하기 직전에 절반이나 파괴된 거 아시죠?"
"모, 모르는데요."

"바로 이 콩알만 한 녀석이 고장 난 냉장고와 낡은 인형의 집으로 로켓을 만들어 소행성을 날려 버린 덕분이랍니다."

셀리 선생님이 자랑스럽게 이야기했지요.

아저씨들은 눈을 크게 뜨고 프래니를 보았어요.

"그러니 콩알만 한 녀석이라고 얕보지 마세요. 정말 똑똑한 아이들도 많답니다."

셀리 선생님이 말했지요.

"선생님, 그럼 이거 가져도 돼요?"

프래니가 활짝 웃으며 셀리 선생님에게 물었어요.

"그래, 가져도 좋아. 하지만 이걸로 문제가 되는 건 만들지 않겠다고 약속해야 해."

"네! 절대 문제가 되는 건 만들지 않을게요!"

프래니는 손뼉을 치며 대답한 뒤 아저씨들에게 말했답니다.

"와, 정말 고맙습니다! 이건 그냥 여기 두세요. 제가 수업 끝나고 가져갈게요."

"도와줄 사람은 있니? 꽤 무거운데…."

한 아저씨가 물었어요.

"네, 연구실 조수가 있어서 도와줄 거예요."

프래니가 대답했지요.

"연구실 조수?"

"음, 진짜 연구실 조수는 아니에요. 푸들, 치와와, 비글, 스패니얼, 셰퍼드 품종이 뒤섞인 데다가 개와 비슷한 다른 동물의 피도 조금 섞인 녀석이죠."

셸리 선생님이 대신 설명했어요.

실패한 과자 판매

프래니는 수업을 마치자마자 현관으로 갔어요. 함께 보일러를 옮겨 줄 이고르를 기다리려고요.

현관에는 모나와 빈센트가 작은 판매대를 차려 놓고 서 있었어요. 판매대 앞에는 '과자 판매'라고 쓴 종이가 붙어 있었지요.

프래니는 친구들이 무엇을 파는지 살펴보았어요. 울퉁불퉁한 오트밀쿠키랑 엉망진창으로 장식한 컵케이크랑 진흙 덩어리 같은 브라우니 한 무더기가 놓여 있었지요.

프래니는 접시 위에 놓여 있는 하나를 집어 들고 좀 더 자세히 관찰하며 물었어요.
"끔찍하게 생긴 이건 뭐야? 혹시 너희들이 발견한 대왕 독버섯 같은 거니?"
"아니, 그건 블루베리 머핀이야. 내가 만들었어."
모나가 당황하며 대답했지요.
"일부러 만들었다고?"
프래니의 말에 모나가 프래니를 쏘아보았어요.

"그럼 너희들 여기 있는 걸 팔려고?"

"그래. 이걸 팔아서 모은 돈으로 음악부랑 미술부에서 필요한 걸 살 거야. 학교에는 악기나 미술 도구를 살 돈이 충분하지 않거든."

모나가 속상한 듯이 말했지요.

프래니는 잠시 생각에 잠겼다가 대답했어요.

"음, 아마 그건 음악과 미술이 수학이나 과학보다는 덜 중요하기 때문일 거야."

모나와 빈센트는 화가 나 프래니를 쳐다보았지요.

"좋아, 그럼 프래니 넌 톱니바퀴랑 우리 몸의 기관이랑 전자 장치에 대해 어디서 배웠어?"

빈센트가 프래니에게 물었어요.

"대부분 책에서 배웠지."

"그럼 책에 있는 그림이나 도표를 많이 봤을 거 같은데. 우리가 재미있게 책을 읽으려면 미술을 배운 누군가가 그걸 그리고 색칠해야 하는 거야."

빈센트가 말했지요.

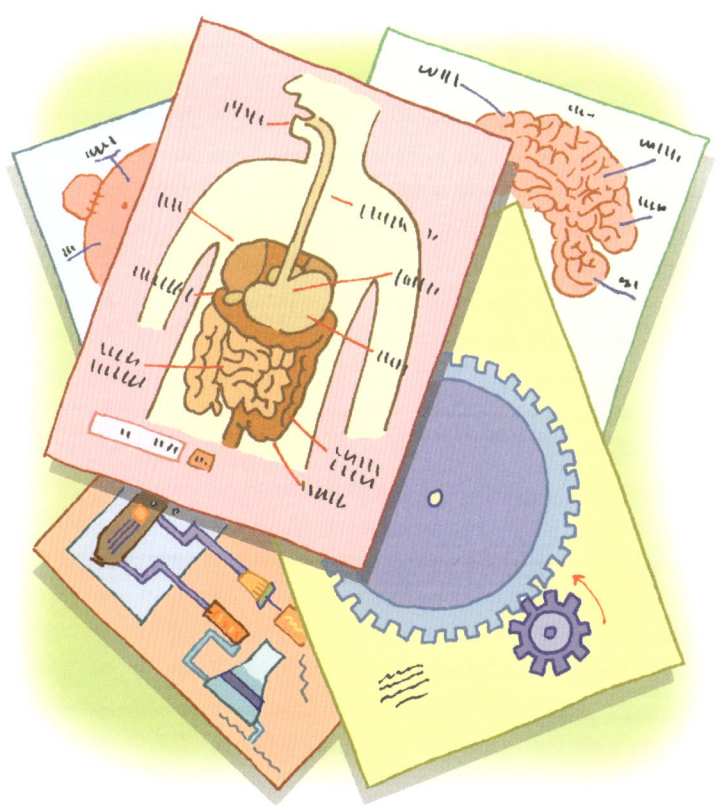

"프래니 넌 로봇이든 괴물이든 만들 때 음악을 틀어 놓은 적 없어?"
이번에는 모나가 프래니에게 물었어요.
"물론 있어. 음악을 들으면서 만들면 왠지 일이 더 잘 되거든. 괴물들이 좀 덜 물기도 하고."

"음악, 춤, 미술, 오락은 우리를 즐겁게 해 줘. 세상을 더 좋게, 행복하게 만들어 준다고."

모나의 말에 프래니는 고개를 끄덕였지요. 프래니도 모두 좋아하는 것이었으니까요.

"맞는 말이야."

게다가 이고르는 그림을 그리거나 체조 연습할 때 음악을 들으면 정말 좋아했어요.

프래니는 어깨를 으쓱하며 말했지요.

"그래, 너희 말이 맞아. 그런 것들도 모두 중요해. 어쩌면 아주 중요할 수도 있고."

이고르가 현관으로 들어서다 과자를 보고는 판매대로 폴짝폴짝 뛰어왔어요. 과자를 참 좋아하거든요.

그런데 킁킁거리며 과자 냄새를 맡아 보더니 이내 그냥 가자고 프래니의 소매를 잡아당겼어요.

"어, 이고르마저 먹고 싶어 하지 않는 과자면 아예 팔기 어려울 거 같은데…. 더러운 양말 더미를 스파게티처럼 순식간에 먹어 치운 적도 있는 녀석이거든."

프래니가 걱정스레 말했지요.

슬프디슬픈 모나와 빈센트의 얼굴이 더더욱 슬픈 표정으로 바뀌었어요.

프래니는 친구들을 이대로 두고 그냥 갈 수가 없었죠.

"그래, 좋아. 내가 너희들이 팔 만한 걸 좀 구워 올게. 이 블루베리 독버섯 덩어리보다는 훨씬 나을 거야."

"이건 독버섯 덩어리가 아니라 머핀이라고."

모나가 화를 내며 말했어요.

"나는 이고르랑 보일러를 집으로 옮겨야 해. 그리고 나서 어떻게 도울 수 있을지 생각해 볼게."
프래니가 친구들에게 말했지요.
"고마워."
친구들이 프래니에게 쿠키 하나를 공짜로 주었어요.
웩! 보기만 해도 구역질이 났지요.
"아, 고맙지만 난 괜찮아."
프래니는 슬쩍 피하며 대답했답니다.

쿠키 굽기쯤이야

프래니는 음악을 들으며 커다란 푸른색 반죽 그릇에 쿠키 재료를 넣고 섞었어요.

"이고르, 진지하게 하는 말인데 쿠키 만드는 게 대체 뭐가 어려워? 밀가루에다 설탕 좀 넣고 오븐에 구우면, '짠!' 하고 맛있는 쿠키가 나오는데 말이야. 안 그래?"

이고르는 빙그레 웃으며 고개를 끄덕였지요. 프래니가 쿠키를 잘 만들 거라고 철석같이 믿었거든요.

하지만 세 시간 뒤, 부엌은 엉망진창이 되고 말았어요. 프래니가 만든 쿠키 대부분은 덜 익었거나 탔거나 아니면 그냥 끔찍했지요.

다행히 딱 한 개는 멀쩡했어요. 프래니는 그 쿠키를 이고르의 접시에 놓아 주며 말했지요.

"이고르, 난 포기할래. 너무 어려워."

그러자 이고르가 달려가더니 얼마 전에 완성한 그림을 들고 와 흔들어 보였어요.

"이고르, 예술을 위해 포기하면 안 된다는 걸 나한테 떠올려 주는 거야? 그런 거지?"

프래니가 앞치마를 벗으며 묻자, 이고르가 고개를 끄덕였지요.

"그리고 내가 그 친구들을 돕기로 했다는 것도…."

이고르가 맞다는 듯이 짖었어요.

"그래, 알겠어. 우리 예술가 친구들을 실망시키지 않을 게. 하지만 내가 과자 굽기에 소질이 없다는 건 확실해. 그러니 친구들을 도우려면 **내 방식**대로 해야 할 거 같아. 이고르, 연구실로!"

이고르는 침을 꿀꺽 삼켰어요. 프래니가 항상 새로운 일을 하기 전에 보이는 눈빛이었거든요.

제빵 로봇 만들기

프래니는 전자두뇌를 조립한 뒤, 이 세상에 있는 모든 조리법을 그 안에 내려받았어요. 그리고 세계 최고 요리사들의 빠르고 능숙한 손놀림을 연구해 자신감 넘치면서도 날렵하기까지 한 팔과 손을 만들었지요.

프래니는 제빵사가 쓰는 뭉게구름 모양의 모자도 만들었답니다. 왜냐고요? 그야 사랑스러우니까요.

프래니는 고물 보일러를 몇 시간에 걸쳐 구부리고 모양을 다듬었어요. 용접을 하고 나사를 조여 멋진 작품으로 변신시켰지요.

프래니는 맛난 쿠키를 굽는 데는 서툴렀어요. 하지만 입에서 불꽃이 활활 타오르고 귀로 연기가 폴폴 나오는 강철 로봇을 만드는 데는 제격이었답니다.

이제 프래니 앞에는 거대하고 무시무시한 로봇이 서 있었어요. 로봇은 몸통 안에서 쉼 없이 불꽃을 일으키며 프래니의 명령을 참을성 있게 기다리고 있었지요.
"넌 제빵 로봇이야."
프래니는 아주 기쁜 얼굴로 로봇에게 말했답니다.

프래니는 녹슨 로봇의 얼굴을 빤히 바라보았어요.
"나는 네가 문제가 되는 일은 절대 하지 않을 거라고 선생님과 약속했어. 알겠지?"
보일러 제빵 로봇이 고개를 끄덕였지요.
"좋아, 이번엔 네가 만들 수 있는 최고의 과자랑 빵을 굽겠다고 약속해 줘."
제빵 로봇은 금속 목을 삐거덕대며 다시 끄덕였어요.
"지금부터 넌 아이들이 정말정말 좋아할 만한 걸 만들어야 해. 컵케이크보다 덜 달고, 쿠키보다 더 크고 맛있는 것으로 말이야."
프래니가 설명했지요.

제빵 로봇이 전자두뇌를 위잉 돌리더니 속이 빈 듯한 기계 목소리로 대답했어요.

"난 머핀을 만들겠어."

"그래, 바로 그거야! 머핀! 모나가 좋아할 거 같아."

프래니가 기뻐하며 소리치자 제빵 로봇 몸통 안의 불꽃이 타닥거리며 활활 타올랐지요.

프래니는 활짝 웃으며 소리쳤어요.

"난 널 '**머핀맨**'이라고 부를래!"

머핀맨은 불꽃을 화르르 일으키며 열의를 표현했답니다. 보일러였을 때부터 늘 아이들이 원하는 바를 딱 맞춰 들어주고 싶었거든요. 머핀맨은 이제 그럴 수 있게 되었다는 생각에 행복해 활짝 웃었지요.

"머핀맨, 누구도 거부할 수 없는 머핀을 만들어 줘. 정말 완벽한 맛이어야 해. 많이많이 팔아야 하거든. 그러니 최선을 다해 주길 부탁할게."

프래니가 당부했어요.

머핀맨은 힘차게 끄덕이고 일을 시작했지요. 세심하게 재료를 재어서 그릇에 담고는 능숙하게 섞었어요. 프래니와 이고르는 계량컵을 척척 사용하고 재료들을 솜씨 좋게 뒤섞는 **머핀맨**을 휘둥그레 바라보았지요.

"이고르, **머핀맨**이 척척 알아서 하니까 넌 이제 그림을 그리든, 체조를 하든 마음껏 하고 싶은 걸 해."
프래니 말에 이고르가 기쁜 듯이 꼬리를 흔들었어요.
"난 이제 하던 연구를 계속해야겠어. 미래를 볼 수 있는 기계랑 얼굴에 트림하면 냄새가 그냥 역겨운지 아니면 엄청 역겨운지 말해 주는 로봇을 발명 중이었거든."

이고르가 프래니를 미심쩍게 바라보았어요.

"그래, 알았어. 네 생각처럼 트림 로봇이 훨씬 재밌을 거야. 그것부터 연구해야겠다."

이윽고 프래니 연구실의 모두는 각자 최선을 다하기 위해 뿔뿔이 흩어졌지요. 그날은 수선화 길 끝에 자리한, 창문마다 귀여운 자줏빛 덧문이 달린 예쁜 분홍색 집에 있는 모든 것이 완벽했답니다.

세상 최고의 머핀

다음 날 아침, 프래니와 이고르는 먹음직한 머핀이 가득 담긴 커다란 접시를 보고 깜짝 놀랐어요. 예쁘게 셀로판종이에 싸여 작은 리본까지 달려 있었거든요.

이고르가 하나를 덥석 집더니 포장을 벗기기 시작했어요. 하지만 프래니는 이고르가 한 입 베어 물기 전에 잽싸게 머핀을 낚아챘지요.

"이고르, 안 돼! 이건 다 팔 거란 말이야. 기억 안 나?"

프래니가 **머핀맨**의 등을 토닥여 주었어요.

"**머핀맨**, 아주 잘했어. 이걸 학교로 가져가서 친구들이 얼마나 좋아하는지 볼게. 친구들이 좋아하면 좀 더 만들어 달라고 할지도 몰라."

프래니가 말했지요.

머핀맨은 연기를 뿜으며 미소를 지었어요. 아이들이 머핀을 좋아하길 진심으로 바랐지요. 그게 바로 자신이 만들어진 이유였으니까요.

프래니는 그날 수업이 끝난 뒤 **머핀맨**이 만든 머핀을 모나와 빈센트가 있는 판매대로 가져갔어요. 여전히 판매가 신통치 않았지요.

"이 머핀을 팔아 봐. 애들이 좋아할 거야. 애들 관심을 끌도록 시식용 공짜 머핀을 나눠 주자."

프래니는 머핀 두 개를 한 입 크기로 잘라서 판매대 옆을 지나가는 아이들에게 권했어요.

1학년인 대니가 멈춰 서서 머핀을 보았어요.

"그냥 맛만 봐. 공짜야."

대니는 프래니 말을 듣고 머핀을 집어 눈곱만큼 조심스레 베어 물었어요. 그런데 갑자기 눈이 커다래지더니 몸을 부르르 떨지 뭐예요. 그러곤 손으로 입을 가렸지요.

"왜 그래? 맛이 이상해?"

프래니가 걱정스러운 표정으로 물었어요.

대니는 목소리를 낮추더니 진지하게 속삭였지요.

"아니! 내가 평생 먹어 본 머핀 가운데 최고의 맛이야."

그러더니 머핀 살 돈을 꺼내려고 주머니 깊숙이 손을 찔러 넣었어요.

다른 아이들도 행복해하며 게걸스럽게 머핀을 먹어 치우는 대니를 보자 머핀 맛을 궁금해했죠. 그래서 너도 나도 시식용 머핀을 먹어 보더니 살 수 있는 한 많은 머핀을 샀답니다.
"우아, 이렇게 많이 팔리다니! 프래니, 머핀을 만들어 줘서 정말 고마워!"
모나가 프래니에게 말했어요.

"넌 진정한 영웅이야. 혹시 머핀을 더 많이 만들어 줄 수 있어?"

빈센트도 기뻐하며 프래니에게 말했지요.

"당연하지! 더 도울 일 있으면 뭐든 말해."

프래니는 씩 웃으며 빈 접시를 집어 들고 현관문 쪽으로 향했어요. 그런데 대니가 프래니를 막아서며 물었죠.

"접시에 머핀 부스러기가 남아 있으면 나 줄래?"

프래니가 웃음을 터뜨렸어요.

"부스러기를 먹겠다고? 대니, 농담하지 마. 내일 여기로 오면 머핀이 충분히 있을 거야."

프래니가 집에 돌아오니, **머핀맨**이 부엌 탁자에 가만히 앉아 프래니를 기다리고 있었답니다.

"**머핀맨**, 아이들이 네가 만든 머핀을 정말 좋아했어. 한 접시 더 구워 주면 좋겠는데."

프래니가 **머핀맨**에게 말했어요.

머핀맨은 몸통 속 불꽃을 화르르 일으키더니 재빨리 반죽 그릇과 계량스푼을 준비했지요.

"넉넉하게 만드는 게 좋을 거 같아. 운이 좋으면 내일은 더 많은 친구들이 사러 올 테니까."

프래니가 반죽하는 **머핀맨**에게 말했어요.

머핀이 가져온 행운

다음 날 아침 프래니가 학교 현관에 들어서니 판매대 주위에 어마어마한 아이들이 모여 있었어요.

"대체 무슨 일이야?"

프래니가 묻자 모나가 대답했지요.

"머핀을 사러 온 아이들이야."

"내가 왔을 때 이미 줄을 길게 늘어서 있었어. 머핀 가져왔어?"

빈센트의 설명을 듣고 프래니가 물었어요.

"지금껏 과자 판매는 수업 끝나고 하지 않았어?"

"맞아, 그런데 애들이 지금 당장 머핀을 원해!"

모나가 다급히 말했지요.

"알겠어."

프래니는 대답하며 모나와 빈센트에게 머핀 봉투를 건네주었어요.

아이들이 판매대로 우르르 몰려드는 바람에 프래니는 간신히 아이들 틈을 비집고 나와 교실로 갔답니다.

"네 머핀이 아주 인기가 많은 모양이구나."

프래니가 교실로 들어가 자리에 앉았을 때 셀리 선생님이 말했어요.

"네, 선생님! 모나와 빈센트가 음악부와 미술부에서 필요한 악기랑 미술 도구를 사려고 돈을 모으고 있대요. 이제 필요한 만큼 모으는 데 그리 오래 걸리지 않을 거 같아요! 대단하죠?"

그날 프래니는 수업 시간에 몰래 머핀을 한 입씩 먹는 친구들을 보았답니다. 점심시간에는 급식으로 나온 샌드위치 대신 머핀을 먹는 친구들도 보았고요.

프래니가 수업을 마치고 집에 가려는데 빈센트와 모나가 복도에서 프래니를 불러 세웠어요.

"프래니, 내일은 머핀이 훨씬 더 많이 필요해."

모나가 말했지요.

"한 열 배쯤 많이."

빈센트가 덧붙였어요.

프래니는 두 친구 얼굴 여기저기에 묻어 있는 기름 얼룩을 발견했지요.

"어, 잠깐! 혹시 너희들도 머핀을 먹은 거야? 그 머핀은 팔아서 돈을 모아야 하는 거잖아."

"대부분은 팔았어."

모나가 겸연쩍어하며 말했어요.

"그리고 우리가 먹은 건 돈을 냈으니까 문제없어."

빈센트도 변명했지요.

"뭐, 돈을 내고 먹었으면 상관없고."

프래니 말에 모나와 빈센트가 씩 웃어 보였어요.

"좋아, 내일은 머핀을 더 많이 만들어 올게. **머핀맨이 아주 기뻐하겠는걸**."

머핀을 더 많이 만들려면

프래니는 **머핀맨**이 어질러 놓은 광경을 보고 고개를 절레절레 저었어요.

"머핀을 많이 구우려니까 공간을 너무 많이 차지하는걸. 이고르가 괴물들에게 춤을 가르칠 자리가 없잖아."

프래니가 투덜거리자 **머핀맨**이 애원했지요.

"제발 날 멈추게 하지 마! 내가 만든 머핀이 아이들을 행복하게 하잖아. 난 계속 머핀을 만들고 싶어."

"널 멈추게 하려고 한 말이 아냐. 그냥 널 어디다 둘지 궁리하는 중이었어."
"아, 그럼 내가 적당한 장소를 알고 있어. 학교 지하실에 창고가 있거든. 내가 보일러로 일하던 곳 바로 옆인데, 거의 비어 있어. 거기에 내 제빵소를 차리면 될 거 같아."
머핀맨이 말했어요.
"좋은 생각이야. 어두워지면 바로 새 장소로 옮기자."
프래니가 고개를 끄덕이며 대답했지요.

머핀맨의 제빵소

"**네** 말이 맞았어. 여기야말로 제빵소를 차리기에 딱 좋은 장소인걸. 이제 넌 원할 때마다 머핀을 구울 수 있고, 우린 필요한 공간이 생겼으니 잘됐지."
프래니가 기뻐하며 **머핀맨**에게 말했어요.
머핀맨은 머핀 한 판을 몸통 오븐에 넣었지요.
"어디 나가지 말고 조용히 있어야 해. 네가 여기 있는 걸 모두가 알 필요는 없으니까."
프래니가 **머핀맨**에게 일렀어요.

이고르가 슬그머니 머핀에 앞발을 뻗었지요.
"이고르, 안 돼! 앞발 치워. 전에도 말했지만 이 머핀들은 판매용이야."
프래니 말에 이고르가 고개를 끄덕였어요.
"**머핀맨**, 잘 자."
프래니가 이고르와 함께 계단을 오르며 소리쳤지만 **머핀맨**의 대답은 들리지 않았지요. **머핀맨**은 엄청나게 많은 머핀을 만드는 데 온통 집중하고 있었거든요. 내일 아침, 한껏 미소를 띠고 행복하게 머핀을 기다릴 모든 아이를 위해서 말이에요.

머핀에 푹 빠진 아이들

다음 날 아침, 판매대 앞은 그야말로 북새통이었어요. 거의 전교생이 몰려와 있었거든요. 그런데 아이들은 미소를 띠지도, 행복하지도 않았어요.

모두 고함치고 목청껏 소리 지르며 머핀을 달라고 아우성이었죠.

모나와 빈센트는 아이들이 양손 가득 머핀을 몽땅 사고 나자, 양손 가득 돈을 쥐게 되었어요.

프래니는 매우 기뻤답니다.

"와! 이렇게 많은 걸 다 팔다니. 저 돈 좀 봐!"

"애들이 네가 만든 머핀에 푹 빠졌어."

모나가 머핀을 한 입 베어 물면서 말했지요.

프래니는 아이들을 휙 둘러보았어요.

"내가 모르는 애들이 있는 거 같은데, 다른 학교에서 온 애들도 있어?"

"그런 거 같아."

빈센트가 아이들 너머로 소리치며 대답했지요.

수업이 끝나고 쉬는 시간이 되었어요. 그러자 거의 모든 아이들이 복도 바닥에 주저앉거나 벽에 기댄 채 옷에 묻은 머핀 부스러기를 떼어 먹고 있었답니다.

아이들은 배가 너무 불러 아무것도 할 수 없었어요. 그 가운데 두어 명만이 겨우 말을 할 수 있었는데 그마저도 전부 머핀 이야기뿐이었지요.

그 뒤 며칠이 지나는 동안 프래니는 아이들 대부분이 급식 대신 머핀을 먹는다는 걸 알아챘어요. 몇몇 아이는 옷이 작아졌다고 투덜거렸죠.

 머핀은 점점 더 많이 팔렸고, 머핀을 사러 오는 다른 학교 아이들도 점점 더 늘어났어요.

또 다른 어느 날, 프래니는 준비한 머핀이 모두 팔리자 모나와 빈센트에게 말했어요.

"지금쯤이면 음악부랑 미술부에서 쓸 돈이 꽤 많이 모였겠는데?"

"그럴걸. 하지만 난 이제 그런 일엔 별로 관심 없어."

모나가 말했지요.

"그래, 난 이제 플루트 연습을 할 때도 머핀을 어떻게 먹을까만 생각하거든."

빈센트가 덧붙였어요.

'어쩌다 머핀이 이렇게 중요해진 거지?'

프래니는 속으로 생각했지요.

프래니는 학교를 나서기 전에 미술실에 들렀어요. 안에는 새 미술용품이 담긴 상자가 산처럼 쌓여 있었지요. 음악실에도 열어 보지조차 않은 최신 악기 상자가 널려 있었답니다.

"이상한걸. 하지만 이제 더는 새 미술용품이랑 새 악기에 관심이 없다 해도 그건 그 애들 마음이니까. 난 연구실에 가서 연구를 계속해야지."

프래니가 중얼거렸어요.

프래니는 저녁을 먹고 숙제하고 난 뒤, 연구실로 가서 새 발명품 연구를 계속했어요.

"이고르! 나사를 조이게 이리 와서 전선 좀 잡아 줘."

프래니가 소리쳤지요.

하지만 이고르는 반응이 없었어요.

"이고르!"

프래니가 다시 외쳤지만 아무런 대답이 없었지요.

이고르는 그림을 그리지도 체조 연습을 하지도 않았어요. 괴물들과 숨바꼭질을 하거나 깨물기 놀이를 하는 건 더더욱 아니었고요.

프래니는 전에도 이고르가 며칠씩 사라지곤 했기 때문에 크게 걱정하지 않았어요.

한 번은 서커스 공연에 며칠간 참여한 적도 있고, 또 한 번은 악어 레슬링 대회에 참가하기도 했지요.

심지어 패션모델에 도전하기도 했답니다.

"걱정할 것 없어. 이고르는 가끔 무언가에 호기심이 생기면 그걸 꼭 해 보고 싶어 하니까. 곧 돌아오겠지."
프래니가 혼잣말을 했어요.

좋은 게 좋은 것이 아닐 수도

다음 날, 과자 판매대 앞에는 아무도 없었어요. 복도나 교실에도 아이라고는 없었지요.
"내가 또 토요일인데 실수로 학교에 온 건가?"
프래니는 고개를 갸우뚱하며 생각해 봤어요.
"아니야. 뭔가 그때보다 이상한 느낌이 드는걸. 이고르가 함께 있으면 좋았을 텐데."

프래니는 배낭에서 트림쿵쿵이 로봇을 꺼냈어요.

"이 로봇을 트림 말고 다른 냄새도 맡을 수 있게 바꿀 수 있을 거야."

프래니는 고무 밴드 두 개와 클립 한 줌으로 이리저리 손을 보았지요. 이윽고 다른 냄새를 맡을 수 있는 로봇으로 바꾸었답니다.

"쿵쿵아, 이고르를 찾아봐. 이고르한테서는 트림 비슷한 냄새가 나니까 쉬울 거야."

프래니가 트림쿵쿵이 로봇에게 말했어요.

로봇은 복도를 따라가며 쿵쿵거리기 시작했지요.

로봇이 학교 지하실 문 앞에서 삐 소리를 냈어요.
"이고르가 저 아래 있다고?"
프래니가 묻자 로봇이 다시 삐 소리를 냈지요.
"저 아래서 뭘 하는지 궁금하군."
프래니는 천천히 지하실 계단을 내려갔어요.

아래로 내려가자 뭔가 번잡한 소리가 들렸어요. 곧 머핀 굽는 냄새도 풍겨 왔지요.

"어쩌면 **머핀맨**이 이고르를 봤을지도 몰라."

프래니가 모퉁이를 돌며 말했어요.

이윽고 어찌 된 일인지 한눈에 들어왔답니다.

지하실에는 아이들이 줄지어 늘어선 긴 탁자에 앉아 재료를 섞거나 머핀 틀에 반죽을 붓고 있었어요.

이고르는 벽을 따라 설치된 새 오븐에 머핀 틀을 넣고 있었지요.

처음엔 별로 이상해 보이지 않았어요. 그런데 자세히 보니 아이들 모두 반쯤 잠든 것처럼 보이지 뭐예요!

"아! 프래니, 안녕. 대단하지? 너도 돕고 싶니?"

머핀맨이 명랑하게 말했어요.

"**머핀맨**, 지금 아이들이랑 뭘 하는 거야?"
프래니가 **머핀맨**에게 따져 물었지요.
"우린 최고로 맛있는 머핀을 만들고 있어. 이 학교 아이들뿐만 아니라 세상 모든 사람들을 위해서 말이야. 곧 온 세상이 끝내주는 내 머핀을 즐기게 될 거야."

프래니가 모나의 어깨를 흔들었어요.
"모나야! 왜 이러고 있어?"
모나는 프래니를 보더니 힘없이 웃었지요.
"프래니, **머핀맨**을 도와주면 머핀을 주거든. 원하는 만큼 말이야."
"머핀은 새 미술용품이랑 새 악기를 마련할 돈을 모으려고 필요했던 거잖아."
프래니의 말에 모나는 어깨를 으쓱했어요.
"프래니, 이제 우리가 신경 쓰는 건 머핀뿐이야."

"음, **머핀맨**을 멈춰야겠어. 지금부터 머핀은 금지야!"

프래니의 말에 아이들이 하던 일을 멈추고 잔뜩 화난 눈으로 프래니를 쳐다보지 뭐예요.

이고르마저 프래니에게 으르렁거렸지요.

"프래니, 넌 나를 이해 못하는구나. 이 학교에서 그저 보일러일 뿐이었던 나를…."

머핀맨이 말했어요.

"알아. 내가 널 만들었잖아."

프래니가 쏘아붙였지요.

"난 학교 난방을 위해 최선을 다했어. 하지만 언제나 누군가에게는 너무 덥고 누군가에게는 너무 추웠지. 내가 노력해도 모두를 만족시킬 수는 없었다고."

머핀맨이 말하는 사이 아이들은 다시 머핀을 만들러 각자 제자리로 돌아갔어요.

"그런데 바로 그때, 네가 날 제빵 로봇으로 만들었어. 그리고 내게 떠오른 멋진 조리법으로 만든 머핀을 모두가 좋아해 주었지. 그래서 이젠 나도, 아이들도 모두 행복하다고."

프래니는 **머핀맨**을 쉬이 꺼 버릴 수 없다는 걸 잘 알고 있었어요. 프래니가 공격하기에는 덩치가 너무 크고 무거운 데다 뜨겁게 타오르고 있었으니까요. 간신히 쓰러뜨린다 해도 자칫 **머핀맨**의 불꽃이 학교를 태워 버릴 수도 있었어요.

지하실에서 **머핀맨**과 싸움을 벌이기에는 아이들이 너무 많아서 아주아주 위험했지요. 프래니는 최대한 빨리 좋은 방법을 생각해 내야 했어요.

"그래, 넌 대단한 일을 했어. 모든 사람들이 네 머핀을 좋아하는 것도 당연해. 정말 끝내주는 조리법으로 만들었으니까."

프래니가 격려하는 척하자 **머핀맨**이 미소를 지었지요.

"물론, 여기 있는 모든 아이들이 너랑 똑같은 기술을 가진다면 머핀은 훨씬 더 맛있어지겠지만 말이야. 음, 그러니까 내 말은 넌 가장 위대한 제빵사인 데 비해 아이들은 그냥 너처럼 만들려고 최선을 다할 뿐이라 머핀 맛이 어떨지 모르겠다고."

"그래서 지금 내가 아이들을 훈련시키고 있잖아."

머핀맨이 말하자 프래니가 대꾸했어요.

"그래, 그나마 그 덕에 애들이 그럭저럭 흉내라도 내는 거지. 결국엔 더 나아질 거야. 몇 년쯤 지나야겠지만."

"하지만 넌 내게 단 하룻밤 만에 다 가르쳐 줬잖아."

머핀맨이 말했지요.

"음, 그랬지. 난 과학자니까 특별한 과학 장비를 쓰거든. 하지만 걱정 마. 네 방법도 훌륭하니까."

프래니가 방긋이 웃으며 대답했어요.

머핀맨은 잠시 생각에 잠겼지요.

"그럼 네가 나처럼 아이들을 제빵 전문가로 훈련시켜 줄래? 필요한 장비를 가져와서 말이야. 대신 원하는 만큼 머핀을 줄게."

"흠, 글쎄…."

"자, 딱 하나만 먹어 봐."

머핀맨이 프래니를 꽉 붙잡고 머핀 하나를 프래니의 얼굴에 들이밀었어요. 그러나 프래니는 머핀이라면 단 하나도 먹고 싶지 않았답니다.

"어, 난 엄청 배불러. 아침 내내 머핀을 먹었거든."

프래니가 몸부림치며 말했어요.

"하지만 친절을 베풀 생각이야. 연구실에 가서 바로 장비를 챙겨 올게."

그제야 프래니는 **머핀맨**의 손아귀에서 풀려났지요.

"저기, 이고르! 날 좀 도와줘."

하지만 이고르는 프래니를 보더니 고개를 저었어요. 이고르가 자신의 부탁을 거절하다니, 프래니는 충격을 받았지요. 이고르도 계속 머핀을 먹어서 홀려 있었던 거예요.

"아, 너도 바쁘구나. 이고르, 괜찮아. 나 혼자서 할게."

프래니는 계단을 뛰어 올라가 집까지 줄곧 달렸지요.

"이고르마저 머핀에 홀리다니!"

프래니는 정말 슬펐어요. 이고르를 만난 날부터 지금껏 쭉 의지해 왔거든요.

프래니는 이고르마저 곁에 없다고 생각하니 너무나 외로웠답니다.

똑똑한 아이는 주저앉지 않아

프래니는 발명품 상자를 샅샅이 뒤지며 생각했어요.
"어떻게 해야 할지 모르겠어! 내 문어 변신기로 **머핀맨**을 문어로 만들어 버릴까. 아냐, 그럼 **문어 머핀맨**이 다리 8개로 머핀을 더 빨리 만들어 낼 거야."

"아니면 **머**핀맨을 로켓에 태워서 달에 보내 버릴까. 아냐, 이미 애들이 조리법을 다 알고 있으니 머핀을 계속 만들어 낼 거야. 그렇다고 **머**핀맨이랑 애들을 모두 달로 보내 버릴 수도 없잖아…."

"아니면 애들을 몽땅 꽁꽁 묶어서 지하실에 가둬 버릴까. 그럼 적어도 다른 사람에게 머핀을 주지는 못할 테니까. 아냐, 그건 불공평해. 애들 잘못도 아닌데 말이야."

"난 엄청나게 거대한 괴물과 싸우는 방법이라면 언제나 자신 있었는데…. 이번엔 너무 어려워."

프래니는 쭈그리고 앉아서 이고르가 그린 자화상을 바라보다 조용히 웃었어요. 그러곤 슬픈 목소리로 중얼거렸지요.

"이제 이고르가 날 그려 줄 일은 영영 없겠지."

"잠깐! 내가 아이들에게 머핀을 없애라고 설득할 수는 없겠지만, 무엇으로 그럴 수 있는지는 알 것 같아!"
프래니는 번개같이 학교 지하실로 달려갔어요.

아주 특별한 헬멧

프래니가 잠깐 자리를 비운 사이, 이미 학교 현관은 머핀으로 가득 차다 못해 문밖으로 쏟아져 나오고 있었어요. **머핀맨**이 온 세상에 나눠 줄 만큼 많은 머핀을 만드는 것도 머지않았지요.

프래니는 지하실로 다시 내려갔어요.

"와, 너희들 진짜 요리사들 같아."

프래니가 초조한 듯 웃으며 말했지요.

이고르가 몸을 돌려 의심스러운 눈초리로 프래니를 보았어요. 이제 이고르에게는 그 무엇보다 머핀이 가장 중요했답니다. 그리고 프래니가 자칫 걸림돌이 될 수도 있다는 걸 잘 알고 있었지요.

"음, 내가 특별한 헬멧을 가져왔어. 이걸 쓰면 네 대단한 제빵 기술을 아이들 머릿속으로 옮길 수 있지."
프래니가 배낭에서 발명품을 꺼내며 말했어요.
"그거 멋지군. 그럼 맨 먼저 누구에게 옮겨 줄까?"
머핀맨이 물었지요.
"글쎄, 아무나 상관없을 거 같은데. 모나는 어때?"
프래니의 말에 이고르가 낮게 으르렁거렸어요.

프래니는 헬멧을 모나의 머리에 씌워 주었지요. 그러고는 **머핀맨**에게 미소를 지으며 말했답니다.

"이제 곧 모나는 너만큼 머핀을 잘 만들게 될 거야."

모나가 프래니에게 활짝 웃으며 좋아했어요.

"잘됐다. 난 늘 머핀 만드는 사람이 되고 싶었거든."

"난 네가 늘 화가가 되고 싶어 하는 줄 알았는데?"

프래니가 모나에게 소곤거리자 모나는 어깨를 으쓱했지요.

이고르가 프래니와 모나에게 다가가고 있었어요.

프래니는 모나만 들을 수 있게 몸을 바짝 기울이며 말했지요.

"모나, 이건 상상 헬멧이야. 내가 이걸 켜면 넌 네가 맞이할 미래를 보게 돼. 이 머핀들이 널 어디로 데려다줄지 확인하게 될 거라고."

"분명 아주 멋지겠지."

모나가 말했어요.

"자, 이제 모나 너의 미래를 상상해 봐."

프래니는 곧바로 전원을 달칵 켰지요.

모나는 십 대가 된 자신의 모습을 보았어요. 머핀을 만들어 사람들에게 팔고 있었는데 그다지 행복해 보이지는 않았답니다.

헬멧이 위잉거리자 더 먼 미래가 보였어요. 아까보다 훨씬 더 나빠 보였지요. 모나는 머핀을 먹는 남동생과 친구들을 보다가 슬픈 얼굴로 붓과 캔버스를 끌어안았어요.

모나는 그렇게 점점 더 늙어 갔고 점점 더 슬퍼하며 후회하고 있었지요. 이제 모나는 혼자였고 구석에는 쓰지 않은 붓과 캔버스가 있었어요. 게다가 아파 보였답니다.

눈물 한 줄기가 모나의 뺨을 타고 흘러내렸어요.
"네 말이 맞아. 난 화가가 되고 싶었어."
모나가 훌쩍이며 말했지요.
프래니가 헬멧을 벗겨 주었어요.
"프래니, 나 이제 머핀 그만 만들래. 그동안 소중한 걸 까맣게 잊고 있었어."
"응, 그 생각 계속 잊지 마. 이제 빈센트를 데려와 줘."
프래니가 부드럽게 말했지요.

곧 빈센트도 자신의 미래를 상상했어요. 빈센트는 음악가도 아무것도 아니었지요. 그저 후회로 가득 찬 불행한 어른일 뿐이었어요. 머핀을 사려고 소중한 자신의 플루트를 팔아 버리는 서글픈 어른이 되어 있었지요.

프래니는 빈센트의 헬멧을 벗긴 뒤 모나에게 들려주었던 대로 말했어요. 지금 생각을 잊지 말고 다른 아이를 데려오라고요.

그때 갑자기 으르렁대는 이고르의 소리가 들렸어요.

"넌 내가 무언가 하고 있다는 걸 알고 있는 거지?"

프래니가 머핀으로 손을 뻗으면서 말했지요.

"이고르, 네 생각이 맞아. 난 이 머핀들을 어떻게 하면 더 맛있게 만들까 궁리하고 있었어."

프래니는 이고르가 보란 듯이 머핀 하나를 헬멧 안에 떨어뜨렸어요. 이고르는 여전히 의심스러웠지만 프래니가 무엇이든 더 낫게 만들 만큼 똑똑하다는 걸 잘 알고 있었지요.

"자, 한번 먹어 봐."

프래니가 말하며 헬멧을 내밀었어요. 마치 오래되고 낯익은 이고르의 밥그릇이라도 되는 듯이 말이에요.

이고르는 조심스럽게 냄새 맡더니 머리를 천천히 헬멧 속으로 집어넣었어요.

그 순간 프래니는 힘껏 헬멧을 눌러 이고르의 머리에 씌우고는 전원을 켰지요.

이고르도 자신의 미래를 보았어요.

늙고 이빨도 듬성듬성 빠진 모습으로 거리에서 살고 있었지요.

나이 든 이고르는 다리를 절뚝이고 낑낑대며 계속 앓는 소리를 냈어요. 집도 머핀도 없었죠. 하지만 그 무엇보다 나쁜 것은 프래니가 없다는 것이었어요.

프래니가 없다니!

이고르는 헬멧에서 머리를 빼냈어요. 그런데 차마 프래니를 바라볼 수 없었지요. 스스로가 부끄러웠거든요.

프래니가 이고르를 안아 주며 말했어요.

"괜찮아, 이제라도 알게 되었으니까."

이고르가 고개를 끄덕였지요.

프래니는 살금살금 돌아다니며, 한 아이씩 조심조심 헬멧을 씌웠어요. 계속 머핀만 먹고 꿈을 포기하면 미래가 어떻게 되는지 아이들에게 보여 주었지요. 의사, 변호사, 운동선수나 무용수가 되는 모든 꿈이 망가진 미래를 말이에요.

잠시 뒤 아이들은 하나둘 앞치마를 벗어 버리고 계량 스푼과 반죽 그릇을 내던졌어요.

"난 그만둘래!!"
아이들이 입을 모아 소리쳤어요.

머핀맨과의 작별

머핀맨은 몸통과 눈에서 위협적인 주황색 불꽃을 이글거리며 프래니를 노려보았어요.

"머핀맨, 다 끝났어."

프래니가 머핀을 몽땅 쓰레기통에 버리는 아이들을 가리키며 말했지요.

"네가 애들을 희생시켜서 무엇을 만든 건지 이제 모두 깨달았어. 그러니까 네 머핀은 더 이상 소용없다고."

머핀맨이 텅 빈 금속성 소리를 내며 웃었어요.

"넌 이게 끝이라고 생각해? 이 머핀 조리법은 완벽해. 난 이걸 온 세상에 퍼뜨릴 거야. 아이들도 지금이야 머핀을 먹지 않겠지만 곧 다시 먹게 될 거야. 그리고 그땐, 온 세상 사람들을 행복하게 만들 거라고."

머핀맨이 울부짖듯이 소리쳤지요.

"이고르, 너 체조했던 거 기억나지?"

프래니가 이고르에게 물으며 자기 어깨 위로 들어 올렸어요.

이고르는 껑충 뛰어올라 공중에서 몸을 틀었지요. 눈 깜짝할 사이 공기를 가르며 몸을 젖히더니 윙윙 돌아가는 상상 헬멧을 **머핀맨** 머리에 씌웠답니다.

이윽고 상상 헬멧이 미래를 보여 주자 **머핀맨**은 충격에 빠져 멍하니 서 있었어요.

미래 세상은 슬프고 우울했어요. 사람들은 그저 머핀만 먹으며 목적 없이 어기적어기적 돌아다니고 있었지요. 아무 표정도 없이 말이에요.

머핀맨이 만들어 낸 세상은 끔찍하고 불행했어요. **머**핀맨조차도 차마 볼 수 없을 정도였지요.

머핀맨은 천천히 헬멧을 벗었어요.

"난 문제가 되는 일은 절대 하지 않기로 약속했는데…."

머핀맨이 슬퍼하며 말했지요.

머핀맨은 헬멧을 힘없이 바닥에 떨어뜨렸어요.
"내가 만들 수 있는 최고의 것을 만들겠다고 약속했다고…."
그 순간 머핀맨이 축 늘어지더니 몸통 속의 불꽃도 사그라졌지요. 불씨 몇 개만 남아 있을 뿐이었어요.

"내 머핀으로는 세상 사람들에게 진정한 행복을 줄 수 없는 거구나. 그렇지?"

머핀맨이 프래니에게 물었지요.

"처음에는 사람들이 행복해했어. 하지만 오래가지 않았을 뿐이야. 사람들은 대부분 무언가를 만들거나 배울 때, 또는 세상이나 자신을 더 나아지게 하려고 노력할 때 가장 행복감을 느끼거든."

프래니의 말에 **머**핀맨이 고개를 끄덕였어요.

"이제 난 더 이상 머핀을 만들지 않을 거야."

머핀맨은 조그만 요리사 모자를 벗어 버리더니 철커덩거리며 계단을 올라 떠나갔지요.

"프래니, **머핀맨**이 떠났어! 네가 이긴 거야!"
모나가 말하자 아이들이 환호성을 질렀어요.
"내가 이긴 게 아냐. 난 내가 **머핀맨**을 절대 이길 수 없단 걸 알았어. 너희들 모두 그 머핀을 간절히 원했으니까. 분명히 내 힘만으로는 너희들을 멈출 수 없었다고."

프래니는 상상 헬멧을 들어 올리며 말을 이었어요.
"하지만 난 생각했어. 어쩌면 너희 스스로 멈출 수 있을지도 모른다고. 자기 미래를 보기만 한다면 말이야. 그리고 같은 이유로 **머핀맨**도 멈춘 거라고 생각해. **머핀맨**은 자기가 만들 수 있는 최고의 것을 만들도록 설계되었어. 단, 문제가 되는 건 절대 만들지 않기로 했는데 결국 자신이 한 일의 문제를 깨닫고 스스로 멈추게 된 거야."

"난 때때로 우리 자신이야말로 스스로에게 가장 위대한 영웅이 될 수 있다고 생각해."

프래니가 이고르와 함께 집으로 돌아가며 말했지요.

프래니는 연구실로 돌아와 장비들을 치우며 말했어요.

"머핀맨이 어디로 갔을지 궁금한걸."

이고르는 어깨를 으쓱하며 프래니를 꼭 껴안았지요. 이고르는 프래니에게 으르렁거렸던 것이 너무 미안했지만, 프래니는 그런 이고르의 마음을 이해했답니다.

"이고르, 괜찮아. 네가 돌아와서 정말 기뻐."

이제 난 가마일 뿐

다음 날 아침, 프래니는 행복한 마음으로 학교에 갔어요. 친구들과 함께할 완벽하게 평범한 날을 기대하면서요.

하지만 아무도 보이지 않았어요.

복도도, 교실도 텅 비어 있었지요.

"이런, 안 돼! 애들이 또다시 머핀을 만들러 간 걸까?"

프래니는 한달음에 지하실로 달려갔어요.

하지만 지하실은 단 한 개의 머핀도 없이 깨끗이 치워져 있었지요.
"이상하군. 그럼 모두 어디로 갔지?"
프래니는 혼잣말을 하며 복도를 돌아다녔어요.
그런데 미술실에서 웃음소리가 들려왔지요.

한 무리의 아이들이 **머핀맨**을 둘러싼 채 손뼉을 치고 있었어요.

"얘들아, 당장 **머핀맨**에게서 떨어져. 위험해!"

프래니는 소리치며 배낭에서 문어 변신기를 꺼냈지요. 혹시 이런 일이 있을까 봐 미리 챙겨 왔거든요. 언제 누구를 문어로 만들어야 할지 알 수 없는 일이니까요.

프래니는 아이들 사이로 천천히 나아갔어요.

"프래니, **머핀맨**은 위험하지 않아. 이제 가마거든. 점토로 만든 걸 구워 주는 가마 말이야."
모나가 말했지요.
"난 나를 완전히 바꿨어. 누가 내게 전혀 새로워질 수 있다고 말해 주었거든. 그래서 한참 생각한 끝에 문제를 일으키지 않고 사람들을 기쁘게 할 수 있는 방법을 찾았어."
머핀맨이 차분하게 말했어요.
"이제 원하는 무엇이든 다 만들 수 있어. **머핀맨**이 몸속에서 다 구워 주니까."
빈센트 말을 증명하듯이 **머핀맨**이 꺼내 들었지요.
"자, 볼래? 벌써 하나 만들었어!"

머핀맨은 뭔가를 후 불어 식힌 뒤 프래니에게 건넸어요. 머핀 그림이 그려진 작은 도자기 접시였지요. 접시에는 '프래니, 고마워.'라고 적혀 있었답니다.

"그건 머핀용 접시야!"

머핀맨의 설명에 프래니는 언짢아하며 접시를 바라보았어요.

"걱정하지 마. 내가 만든 머핀이 아니니까. 난 더 이상 머핀을 만들지 않아. 그건 모나가 만든 머핀을 담을 접시야."

머핀맨이 웃으며 말했지요.

프래니는 미소 지으며 팔을 벌려 모나를 안았어요.

"모나야, 난 네가 만든 머핀이 최고야!"

추천의 말

세상의 모든 아이들이 프래니가 되길 꿈꾸며…

짐 벤튼의 이야기와 만화는 세련되고 유머스러우며 독자들을 즐겁게 하는 재치가 묻어 있다. 그는 〈엽기 과학자 프래니〉 시리즈를 통해 그의 만화와 이야기가 어린이들에게도 매력적일 수 있다는 사실을 유감없이 보여 주었다.

이 책의 주인공 프래니는 볼수록 매력적인 소녀다. 인형이나 꽃 대신 박쥐와 거미를 좋아하고, 과학에 반쯤 미쳐 있으며, 머리가 둘 달린 로봇과도 용감하게 싸우는 프래니를 보고 있으면, 입가에 미소가 절로 밴다. 악동 같은 눈망울과 장난기어린 미소의 이 엽기적인 꼬마 과학도가 친구들과 친해지기 위해 벌이는 좌충우돌 사건들을 보면서, 우리 아이들도 '우정'을 배우고, '상상력'을 키우며, '차이'를 인정하는 성숙한 청소년으로 자라게 되기를 바란다.

세상의 모든 어린이는 '타고난 과학자'다. 직접 만져 보거나 먹어 보지 않으면 안달하고, 마음대로 부수고 해부해 봐야 직성이 풀리는 엽기적인 실험 과학자, 나를 둘러싼 모든 것이 궁금

하고, 세상의 어떤 선입견으로부터도 자유로운 아마추어 과학자가 바로 아이들인 것이다. 돌이켜 보라. 우리들도 예전엔 조금씩 프래니가 아니었던가! 우리도 얼마나 프래니처럼 '엽기적인 방'과 '나만의 도시락'을 갖고 싶어 했던가!

부디 세상의 모든 꼬마 과학자들이 그 왕성한 호기심과 놀라운 상상력을 잃지 말고, 훌륭한 과학자로 성장해 주길. 특히 상상력으로 가득 찬 '세상의 모든 아이들'이 엽기적이어도 좋으니 프래니처럼 창조적인 과학자가 되어 주길 간절히 바란다.

우리 아이를 남들과 다르게 키우고 싶다면, 이 책을 펼쳐 보시길. 책장을 넘길 때마다 날마다 조금씩 성장하는 아이를 보게 될 것이다.

정재승(KAIST 바이오시스템학과 교수, 『정재승의 과학콘서트』 저자)

엽기 과학자 프래니

박쥐와 거미를 좋아하고, 엽기적인 발명품을 만들어 내는
엽기 과학자 프래니의 좌충우돌 발명, 모험, 우정, 성장 이야기!

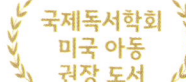

- 뉴욕타임즈 베스트셀러 작가
- 국제독서학회 미국 아동 권장 도서
- 골든덕 과학도서상 수상작
- 미국 어린이책 센터 '그리폰상' 명예의 책

01 거대한 도시락 괴물

새 학교로 전학을 간 프래니는 친구를 사귀고 싶은 마음에 변신 물약을 만들어 친구들이 좋아하는 평범하고 예쁜 모습으로 변한다. 하지만 게호박 괴물이 담임 선생님을 납치해 가자, 본래의 모습으로 괴물 처치 작전을 펼치는데….

글·그림 짐 벤튼 | 옮김 박수현 | 116쪽 | 값 12,000원

02 거인 큐피드의 공격

프래니는 사랑의 마음을 담은 밸런타인데이 카드에 어떤 말을 쓸지 몰라 고민한다. 그때 실험실 조수 이고르의 실수로 밸런타인데이 카드에 그려져 있던 큐피드가 어마어마하게 커져서 살아 움직이는데….

글·그림 짐 벤튼 | 옮김 박수현 | 116쪽 | 값 12,000원

03 투명 인간이 된 프래니

프래니는 친구들에게 엽기 과학을 가르쳐 주기로 결심하고는 머리가 둘 달린 미완성 로봇을 만든다. 하지만 엽기 과학을 전혀 모르는 친구들은 두 배로 멍청한 로봇을 만들어 내고, 그 로봇은 학교를 엉망진창으로 만들어 놓는데….

글·그림 짐 벤튼 | 옮김 박수현 | 116쪽 | 값 12,000원

04 타임머신 타고 시간 여행

프래니는 학교 과학 경진 대회에서 시간을 거스르는 장치 뾰로롱으로 최우수상을 타지만 자신의 중간 이름 때문에 웃음거리가 된다. 화가 난 프래니는 뾰로롱을 타고 아기였을 때로 돌아가 중간 이름을 '킹콩'으로 바꾸는데….

글·그림 짐 벤튼 | 옮김 박수현 | 116쪽 | 값 12,000원

국내에서만 200만 부 이상 판매된 초베스트!

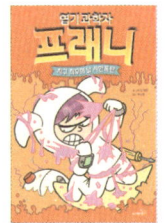

05 지구 최후의 날 시한폭탄

프래니는 지구를 날려 버릴 만큼 강력한 폭탄을 만들어 낸다. 하지만 골칫덩어리 조수 이고르가 이 시한폭탄을 꿀꺽 삼켜 버리고 만다. 결국 프래니는 폭탄의 시한장치를 멈추기 위해 이고르의 콧구멍을 통해 배 속으로 들어가는데….
글·그림 짐 벤튼 | 옮김 박수현 | 116쪽 | 값 12,000원

06 복제 로봇과 프래니의 대결

프래니는 특별 과외 수업으로 지쳐 버린다. 그래서 엄마에게 과외 수업을 줄여 달라고 부탁하지만, 엄마는 들어주지 않는다. 결국 프래니는 과외를 대신할 복제 로봇을 발명하는데….
글·그림 짐 벤튼 | 옮김 박수현 | 116쪽 | 값 12,000원

07 반장 선거에 나간 프래니

반장 선거에 출마한 프래니는 친구들의 마음을 사로잡기 위해 개와 카멜레온, 앵무새의 DNA를 섞은 프래니 후보를 만든다. 프래니 후보는 반장에 당선되고 나자, 이번에는 대통령 선거에도 나가는데….
글·그림 짐 벤튼 | 옮김 박수현 | 132쪽 | 값 12,000원

08 머리카락 괴물의 습격

프래니는 엄마가 화장품과 헤어드라이어 같은 것을 왜 좋아하는지 알아내려고 엽기 실험을 시작한다. 그런데 프래니가 발명한 약품을 머리에 바르자, 머리카락이 이상한 괴물로 변해 여기저기 돌아다니며 말썽을 일으키는데….
글·그림 짐 벤튼 | 옮김 노은정 | 112쪽 | 값 12,000원

09 재앙을 부르는 악마의 머핀

프래니는 친구들을 도와주려고 제빵 로봇을 만든다. 제빵 로봇은 아주 맛있는 머핀을 만들어 내고, 머핀은 아이들 사이에서 큰 인기를 얻는다. 그런데 아이들이 머핀을 좋아해도 너무 좋아하는데….
글·그림 짐 벤튼 | 옮김 양윤선 | 136쪽 | 값 12,000원

10 두꺼비 바이러스에 걸린 프래니

프래니의 실수로 연구용 두꺼비가 집 밖으로 달아난다. 도망친 두꺼비는 사람을 두꺼비로 바꾸는 바이러스를 퍼뜨린다. 세상은 두꺼비 바이러스 때문에 난리가 나고, 프래니마저 감염되고 마는데….
글·그림 짐 벤튼 | 옮김 양윤선 | 160쪽 | 값 13,000원

상상력과 창의력을 쑥쑥 길러 주는 **엽기 과학자**

 게임북

프래니가 알려 주는 '프래니처럼 머리 좋아지는 비결' 대공개!
다양한 활동을 통해 과학 탐구력과 창의력, 집중력과 관찰력을 키워 보세요.

01
엽기 실험 따라잡기

★ 특별 부록 ★ 무시무시한 스티커, 캐릭터 카드 13장

상상을 초월하는 엽기 과학 실험과 화학식 퍼즐, 어휘력을 키우는 활동을 해 보세요.
글·그림 짐 벤튼 | 68쪽 | 값 8,000원

02
괴물 발명 따라잡기

★ 특별 부록 ★ 깜짝 놀랄 스티커, 발명품 카드 13장

오싹오싹 소름 돋는 괴물도 만들고, 머리가 좋아지는 암호도 풀고, 창의력을 키워 주는 이야기도 만들어 보세요.
글·그림 짐 벤튼 | 68쪽 | 값 8,000원

03
괴짜 과학 따라잡기

★ 특별 부록 ★ 오싹오싹한 판박이, 괴물 카드 13장

프래니를 좋아하는 친구라면 과학과 논술 실력을 동시에 키워 주는 프래니 독서왕 퀴즈에 꼭 도전해 보세요.
글·그림 짐 벤튼 | 68쪽 | 값 8,000원

04
엉뚱 상상 따라잡기

★ 특별 부록 ★ 으스스한 판박이, 실험 장치 카드 13장

관찰력을 키워 주는 다른 그림 찾기와 과학자라면 꼭 필요한 표본 모으기 그리고 상자와 모빌을 만들어 보세요.
글·그림 짐 벤튼 | 68쪽 | 값 8,000원

만능 엽기 박사 빅터

끊임없이 도전하는 빅터의 엉뚱하고 통쾌한 이야기와 창의적인 상상력을 지금 만나 보세요.

01 우주 전쟁 전략가 도전하기

빅터는 우주 전쟁 게임을 하다 우연히 외계인들이 있는 우주선으로 가게 돼요. 외계인들은 빅터에게 우주 전쟁에서 이기게 해 달라고 부탁하지요. 과연 빅터는 우주 전쟁에서 승리하고 무사히 지구로 돌아올 수 있을까요?

글·그림 짐 벤튼 | 옮김 신지호 | 122쪽 | 값 11,000원

02 좀비 사냥꾼 도전하기

빅터는 친구 패티를 위해 새로운 첼로를 만들어 주었어요. 그런데 첼로의 어마어마하게 끔찍한 소리가 잠자고 있던 좀비들을 깨우고 말았죠! 과연 빅터는 좀비들의 공격을 물리치고 친구들을 구할 수 있을까요?

글·그림 짐 벤튼 | 옮김 신지호 | 112쪽 | 값 11,000원

 무엇이든 못하는 게 없는 **만능 엽기 박사 빅터!**

 개성이 폭발하는 **등장인물들!**

 만능 엽기 박사 빅터의 **끊임없는 도전!**

빅터의 멋진 활약을 기대해 주세요!